KU-385-900

Schools Library and Infomation Services
S00000694759

FRENCH READERS

# Mes vêtements

Fiona Undrill

Clothes

**www.heinemann.co.uk/library**
Visit our website to find out more information about Heinemann Library books.

To order:
Phone 44 (0) 1865 888066
Send a fax to 44 (0) 1865 314091
Visit the Heinemann Bookshop at www.heinemann.co.uk/library to browse our catalogue and order online.

First published in Great Britain by Heinemann Library, Halley Court, Jordan Hill, Oxford OX2 8EJ, part of Harcourt Education. Heinemann is a registered trademark of Harcourt Education Ltd.



Editorial: Charlotte Guillain
Design: Joanna Hinton-Malivoire
Illustration: Darren Lingard (p14)
Picture research: Ruth Blair
Production: Duncan Gilbert

Printed and bound in China by Leo Paper Group.

ISBN 9780431931302 (hardback)
11 10 09 08 07
10 9 8 7 6 5 4 3 2 1
ISBN 9780431931418 (paperback)
11 10 09 08 07
10 9 8 7 6 5 4 3 2 1

**British Library Cataloguing in Publication Data**
Undrill, Fiona
Mes vetements = Clothes. - (Modern foreign languages readers)
1. French language - Readers - Clothing and dress 2. Clothing and dress - Juvenile literature 3. Vocabulary - Juvenile literature
448.6'421
A full catalogue record for this book is available from the British Library.

**Acknowledgements**
The publishers would like to thank the following for permission to reproduce photographs:
© Alamy p. **6** (Libby Welch); © Corbis pp. **3**, **4** (Randy Faris), **11** (C. Lyttle/zefa), **15** (Joson/zefa), **16** (David Samuel Robbins ), **20**; © Harcourt Education pp. **22** (Peter Morris), **23** (Tudor Photography); © istockPhoto p. **22** (Denisa Moorhouse); © Photolibrary.com p. **12** (OSF); © 2007 Jupiter Images Corporation pp. **8**, **19**

Cover photograph of washing on line reproduced with permission of Alamy (Chris Fredriksson).

Every effort has been made to contact copyright holders of any material reproduced in this book. Any omissions will be rectified in subsequent printings if notice is given to the publishers.

# Table des matières


Casse-têtes 4–23

Vocabulaire 24


Try to read the question and choose an answer on your own.

You might want some help with text like this.

# C'est pour faire quel vêtement?

**a** des chaussettes

**b** un blouson

**c** un maillot de bain

**d** un slip

## Indices

1. Les bouteilles en plastique sont recyclées pour faire le vêtement.
2. Le vêtement, c'est pour quand il fait froid.

# Réponse

**b** un blouson

# Recyclage

25 bouteilles en plastique = un blouson.

| Objet | Nombre d'années pour se décomposer |
|---|---|
| sac en plastique | 10–20 |
| canette en aluminium | 50–100 |
| bouteille en verre | 500 |
| bouteille en plastique | 450+ |

Alors, recyclons!

# C'est pour faire quel vêtement?

**a** un T-shirt

**b** des chaussures

**c** un jean

**d** un pullover

## Indices

1. L'image, c'est des moutons.
2. Le vêtement, c'est …
   - en laine
   - très chaud – c'est bien quand il fait froid

## Réponse

**d** un pullover

# Animaux utilisés pour faire les vêtements

| Les animaux | Exemple d'un vêtement |
| --- | --- |
| les canards | un manteau (l'intérieur) |
| les crocodiles | des chaussures |
| les lapins | un manteau |
| les moutons | un pullover |
| les renards | une écharpe |
| les serpents | des bottes |
| les vaches | des chaussures |
| les vers à soie | une robe |

# C'est pour faire quel vêtement?

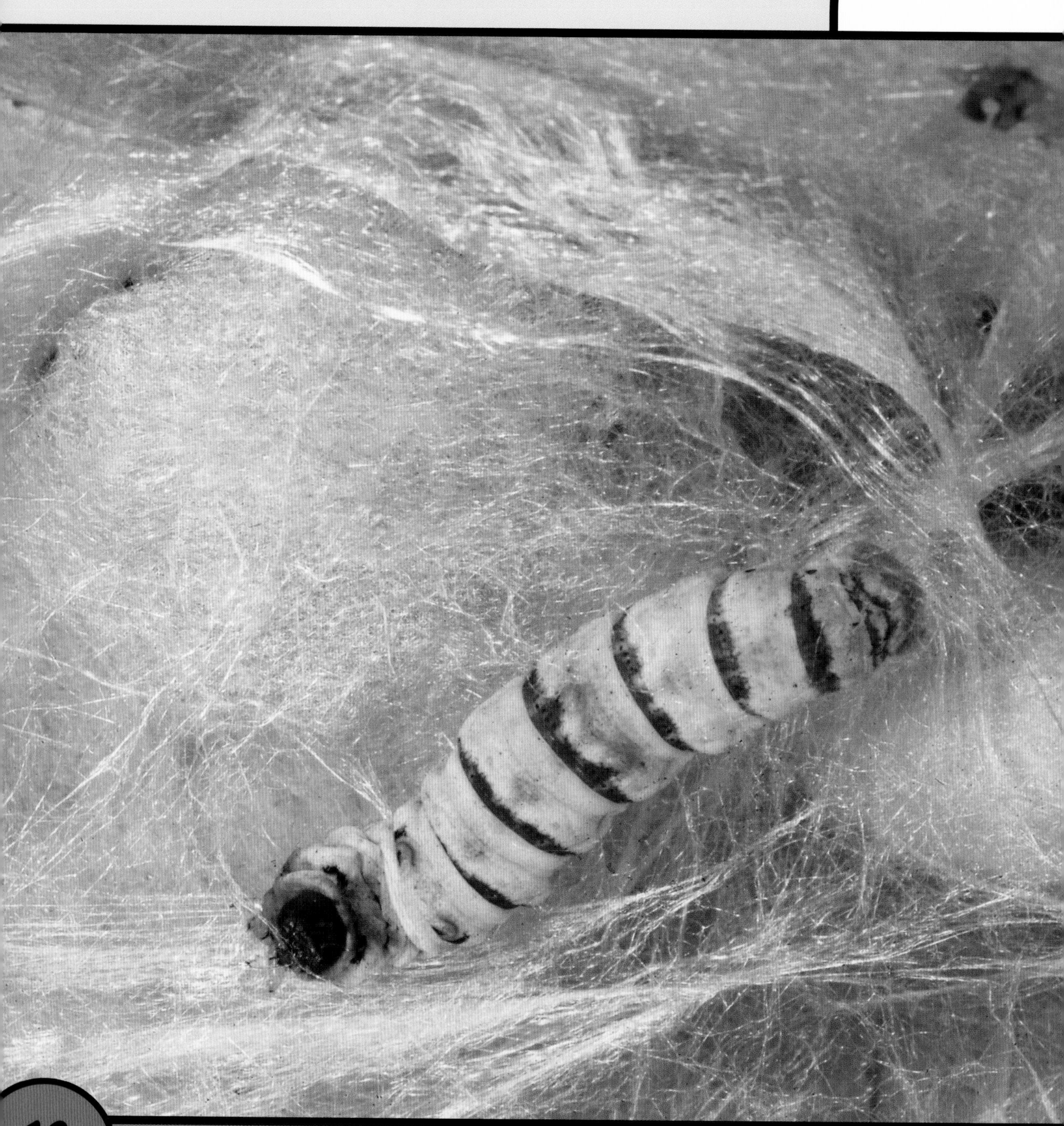

a des bottes

b une robe

c un pullover

d un chapeau

## Indices

1. L'image, c'est un ver à soie.
2. Le vêtement, c'est pour les femmes.

Réponse

**b** une robe

l'oeuf
la chenille
le phalène
Le cycle de la vie
d'un ver à soie
la larve
l'adulte
le cocon
la pupe
Le cocon est fait de soie;
la soie vient d'ici.

# C'est pour faire quel vêtement?

a des chaussures

b un T-shirt

c un maillot de bain

d des chaussettes

## Indices

1. Le vêtement, c'est pour les pieds.
2. L'image, c'est les peaux des animaux pour faire le cuir.

# Réponse

**a** des chaussures

## Le cuir

On utilise le cuir aussi pour faire:

- des vestes
- des ceintures
- des chaises.

As-tu des chaussures en cuir?

Cherche ce symbole:

# C'est pour faire quel vêtement?

**c** une chemise

**d** un pantalon

## Indices

1. La plante, c'est le coton.
2. Le coton est utilisé pour beaucoup de vêtements.

# Réponse

Tous!

**a** un jean

et

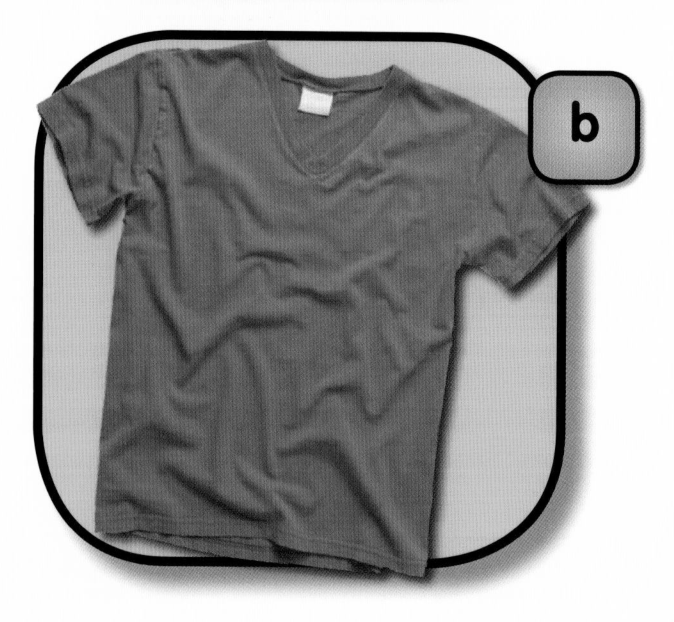

**b** un T-shirt

et

**c** une chemise

et

**d** un pantalon

Le coton est très important pour les vêtements!

# Vocabulaire

**Français** Anglais page

**un adulte** adult 14
**un animal (animaux)** animal(s) 10, 17
**une année** year 7
**as-tu?** do you have? 18
**aussi** also 18
**beaucoup** lots of /many 21
**bien** good 9
**un blouson** jacket 5, 6, 7
**une botte** boot 10, 13
**une bouteille** bottle 5, 7
**ce** this 18
**c'est** it is 17
**C'est pour faire quel vêtement?** This makes which item of clothing? 4, 8, 12, 16, 20
**un canard** duck 10
**une canette en aluminium** aluminium can 7
**un casse-tête** puzzle 3
**une ceinture** belt 18
**une chaise** chair 18
**un chapeau** hat 13
**chaud** hot 9
**une chaussette** sock 5, 17
**une chaussure** shoe 9, 10, 17, 18
**une chemise** shirt 21, 23
**une chenille** caterpillar 14
**chercher** to look (for) 18
**un cocon** cocoon 14
**le coton** cotton 21, 23
**un crocodile** crocodile 10
**le cuir** leather 17, 18
**le cycle de la vie** life cycle 14
**se décomposer** to decompose 7
**une écharpe** scarf 10
**et** and 22, 23
**faire** to make/do 5, 10 17, 18
**une femme** woman 13
**il fait froid** it's cold 9
**une image** picture 9, 13, 17
**important(e)** important 23
**un indice** clue 5, 9, 13, 17, 21
**intérieur** inside 10
**un jean** jeans 9, 21, 22
**la laine** wool 9
**un lapin** rabbit 10
**une larve** larva 14
**un maillot de bain** swimming costume 5, 17
**un manteau** coat 10
**un mouton** sheep 9, 10
**un nombre** number 7
**un objet** object 7
**un oeuf** egg 14
**un pantalon** trousers 21, 23
**la peau** skin 17
**un phalène** moth 14
**un pied** foot 17
**une plante** plant 21
**plastique** plastic 5, 7
**pour** for 10, 13, 17, 18, 21
**un pullover** pullover 9, 10, 13
**une pupe** pupa 14
**quand** when 9
**le recyclage** recycling 7
**recycler** recycle 5, 7
**recyclons** let's recycle 7
**un renard** fox 10
**la réponse** answer 6, 10, 14, 18, 22
**une robe** dress 10, 13, 15
**un sac** bag 10
**un serpent** snake 10
**un slip** underpants 5
**la soie** silk 10, 13, 14
**un symbole** symbol 18
**la table des matières** contents 3
**tout (tous)** all of them 22
**très** very 9, 23
**un T-shirt** T-shirt 9, 17, 21, 22
**utiliser** to use 10, 18, 21
**une vache** cow 10
**un ver à soie** silk worm 10, 13, 14
**le verre** glass 7
**une veste** jacket 18
**un vêtement** item of clothing 1, 5, 9, 10, 13, 17, 21, 23
**vient d'ici** comes from here 14